Pour Gaston.
Mylène Rigaudie

Camille
veut une nouvelle famille

Texte de Yann Walcker
Illustrations de Mylène Rigaudie

AUZOU

Camille est un drôle de petit hérisson qui vit dans la forêt de Bouille-les-Écureuils. Mignon et gâté, il a tout pour être heureux, mais surtout, des parents qui l'aiment.

Pourtant, Camille se plaint sans arrêt !

Selon lui, sa maman lui fait trop de bisous, son papa n'a jamais le temps de jouer et sa petite sœur lui casse les oreilles…

Ce matin encore, Camille est furieux.
Son père refuse de l’emmener à la chasse aux limaces sous prétexte qu’il est trop jeune !

« Zut, zut et re-zut, à la fin ! dit-il en tapant du pied. Puisque c'est comme ça, je m'en vais ! »

Et pendant que ses parents sont occupés, Camille part en boudant...

Sur le chemin, Camille rencontre Yann, un âne tout doux qui s'amuse dans une botte de paille. Sa bonne humeur fait plaisir à voir !

« Salut, marmonne Camille, l'air bougon. Tu es seul ? Où sont tes parents ?

– Viens donc à la maison, répond Yann, je te les présenterai. Mais seulement si tu arrêtes de bouder ! »

Yann conduit Camille dans un pré, où galopent deux magnifiques chevaux.

« Je te présente mes parents, dit le petit âne.

– Tes parents ? s'étonne Camille. Mais… tu n'es pas
un poulain !
– Bien sûr, répond Yann, j'ai été adopté. Et crois-moi, je suis
très heureux comme ça ! »

Camille joue un moment avec Yann, puis reprend sa route.

Au bord d'un étang, il croise une grenouille qui chante une comptine. Quelle jolie mélodie ! Camille voudrait bien l'apprendre aussi...

« Bonjour, dit-il, c'est ta famille qui t'a appris à chanter comme ça ? Quelle chance tu as !
– Merci, répond la grenouille. Je m'appelle Dorine. Si tu m'accompagnes, je t'apprendrai aussi. »

Prenant soin de ne pas tomber à l'eau, Camille grimpe sur un gros nénuphar.
« Voici ma mère, dit Dorine. Nous vivons ici toutes les deux...

– Tu n’as pas de papa ? demande Camille. Mais alors, qui te protège la nuit ?
– C’est maman, bien sûr ! Et crois-moi, avec elle, les crapauds n’ont qu’à bien se tenir ! »

Après avoir beaucoup ri, Camille poursuit son chemin.

Passant près d'une ferme, il aperçoit des cochons qui pataugent dans la boue. L'un d'entre eux, Enzo, ressemble plutôt à un marcassin !
« Bonjour, lui dit Camille. Pourquoi n'es-tu pas tout rose, comme tes camarades ?

– Oh, c'est très simple, répond Enzo. Mon papa à moi n'est pas un cochon... mais un sanglier ! »

« Je viens de la ferme et mon mari de la forêt, raconte la maman d'Enzo. Aussi, quand notre fils est né, il s'est très vite adapté à nos deux modes de vie !
– Eh oui ! conclut Enzo en riant. Je mange aussi bien des glands que du maïs ! Moitié sanglier, moitié cochon : je suis un sanglochon ! »

Camille est émerveillé… toutes ces familles, si différentes… décidément, la nature est bien riche !

Le museau dans le vent, le petit hérisson parcourt la campagne.

Mais déjà, son estomac le tiraille. Hmmm… il mangerait bien un morceau de salade ou un ver de terre !

« Salut, toi ! dit une voix dans son dos. Tu es perdu ?
Que fais-tu seul, au milieu des champs ? »

C'est Baptiste, un jeune veau, qui a parlé.
Gentiment, il propose à Camille de venir déjeuner chez lui.

« Je te présente Roger, mon papa, dit Baptiste. Le plus fort des taureaux, ajoute-t-il tout fier. Et voilà Bastien, mon autre papa. Papa Bastien fait très bien la cuisine, tu vas te régaler !

– Tu as deux papas ? s'exclame Camille. Je ne savais pas que c'était possible !
– Bien sûr que si ! D'ailleurs, je ne suis pas si différent de toi : moi aussi, j'ai deux parents ! »

Le ventre bien rempli,
Camille peut repartir.

Près d'un village, il rencontre une petite hirondelle nommée Clémence. Celle-ci partage le nid d'une vieille chouette, ce qui étonne Camille…

« Dis, maman Babette, je peux aller jouer en bas, avec le hérisson ? demande Clémence.
– Bien sûr, ma chérie… »

À l'ombre d'une racine, Clémence se confie à Camille.
« Tu sais, dit-elle, Babette n'est pas vraiment ma maman, c'est ma nounou. Comme mes parents voyagent beaucoup, elle s'occupe de moi. Elle est très gentille, mais parfois, c'est difficile… ma maman n'est jamais là pour le bisou du soir… et mon papa, je ne le vois que quelques jours par an… »

En y réfléchissant, Camille trouve que finalement, les bisous de sa maman sont bien agréables. Et que même si son papa ne l'emmène pas à la chasse, au moins, il le voit tous les jours !

Camille est pensif.

« Y a-t-il vraiment une famille idéale ? se demande-t-il à voix haute.

– Moi, je sais ! s'écrie Victor, un petit loup caché dans un fourré.
La famille idéale, c'est la mienne !

– Nous, les loups, vivons en meute, explique Victor.
J'ai donc un papa, une maman, mais aussi trois beaux-pères, sept belles-mères, et surtout, une bonne trentaine de frères et sœurs ! Imagine les bagarres au moment du coucher ! »

Camille n'est pas très convaincu. Une petite sœur, c'est bien assez ! D'ailleurs, elle lui manque, et ses parents aussi...

Camille veut rentrer à la maison. Heureusement,
le chemin du retour semble beaucoup plus rapide…

Ah ! Quel bonheur de retrouver ses parents !
Mais ce voyage a été très utile : maintenant, Camille sait qu'il n'y a pas de famille idéale. Non, quand on s'aime, toutes les familles sont idéales !

Direction générale : Gauthier Auzou
Responsable éditoriale : Claire Simon
Maquette : Annaïs Tassone
Fabrication : Amélie Moncarré
Relecture : Marjolaine Revel

Loi n° 49-956 du 16 juillet 1949 sur les publications destinées à la jeunesse.
Dépôt légal : janvier 2013
ISBN : 978-2-7338-2297-5

www.auzou.fr

Mes p'tits albums